U0101021

SHENSHI DE YUSAN

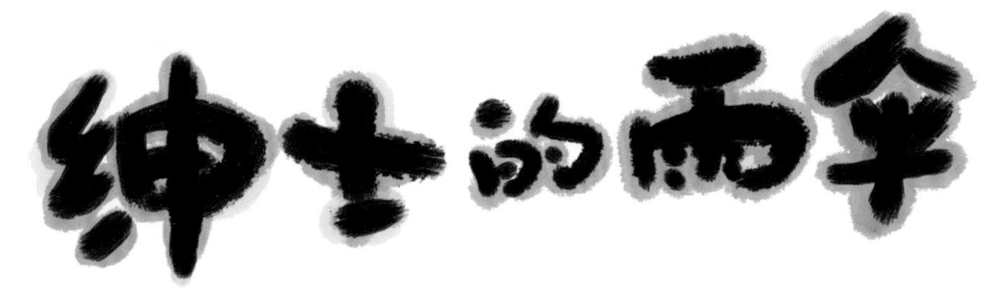

[日] 佐野洋子 著 唐亚明 译

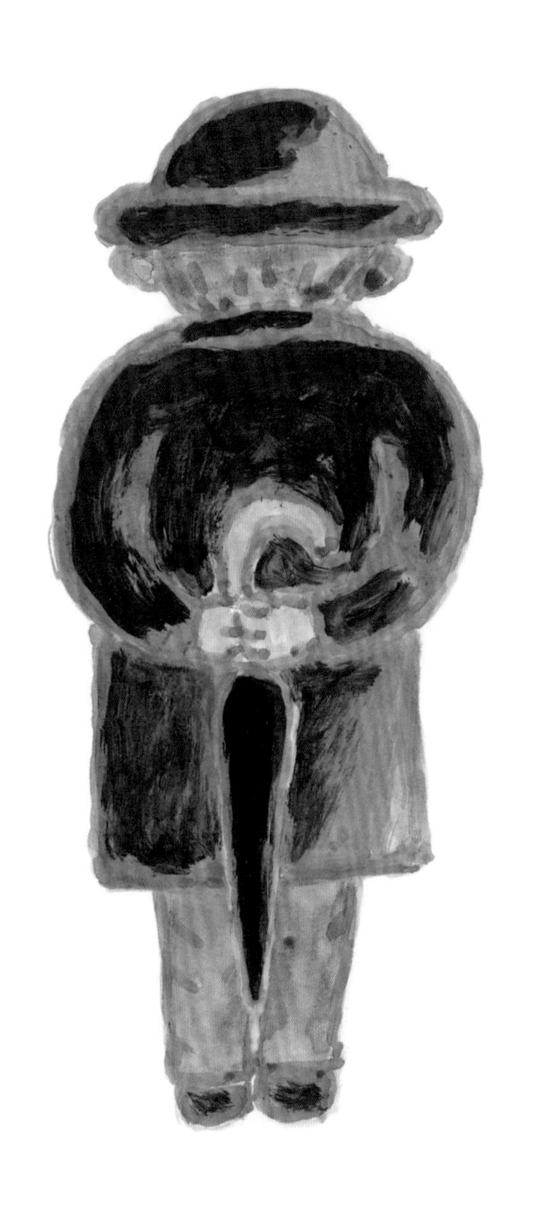

有一位绅士，

他有一把漂亮的雨伞，

长长的，黑亮亮的，

拄起来像根拐棍儿。

绅士出门时总带上它。

下小雨时，绅士宁愿让雨淋着也不把伞打开。

因为他怕伞湿了。

雨下大了，他就找个地方躲躲，

一直等到雨停。

因为他怕伞湿了。

他急着赶路时，就抱着雨伞跑。

因为他怕伞湿了。

雨下个不停时，他就钻到陌生人的伞下，

说：“劳驾了，让我躲一下吧！

我就到前面不远的地方去。”

因为他怕伞湿了。

下倾盆大雨时，他索性就不出门，

一直待在家里。

他看到大风吹坏了别人的雨伞，
就说：“看来，我不出门算对了，
不然，我的宝贝雨伞也会坏的。”

有一天，绅士在公园里歇着。

他像以往一样，把手支在伞上，心旷神怡。

然后，他仔细检查一下雨伞脏没脏，是否叠得整齐。

如果没有发现一点儿毛病，

他就放心地又开始心旷神怡。

这时，天上下起了毛毛细雨。

有一个小男孩，跑到树下避雨。

他看到绅士有一把漂亮的伞，

就说："伯伯，你要是打伞去那边，

带我去行吗？"

绅士干咳了一声，眼睛往上瞟，

装作没听见。

“哎，小麻，你没带雨伞吗？

咱们一起回去吧。”

小男孩的朋友小女孩来了。

两人大声唱着歌，在雨中往回走。

“下雨了，滴答答。

下雨了，哗啦啦。”

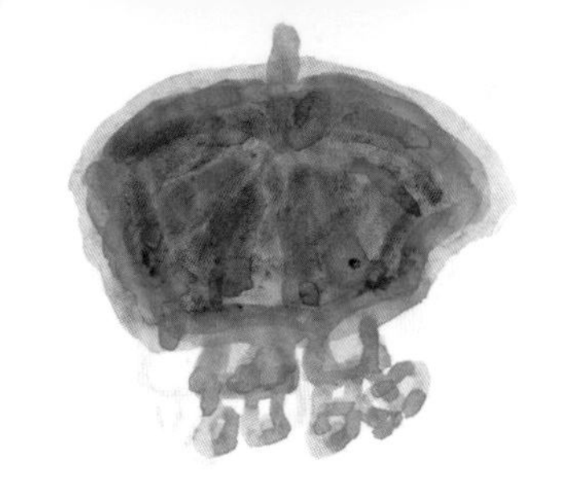

“下雨了，滴答答。

下雨了，哗啦啦。”

小男孩和小女孩走远了，

雨中回荡着他们的歌声。

“下雨了，滴答答。

下雨了，哗啦啦。”

绅士不由自主地重复了一遍：

“下雨了，滴答答。

下雨了，哗啦啦。”

他站起来说：“这是真的吗？”

绅士终于打开了他的雨伞。

“下雨了，滴答答。

下雨了，哗啦啦。”

绅士一边哼着歌儿，一边走到雨中。

雨点儿打在他漂亮的伞上，

发出了滴答答的响声。

“哦，真的呀！雨点儿打在伞上果然是滴答答啊！”

绅士高兴起来。

一只被雨淋湿的小狗，甩掉了身上的雨水。

绅士也转了几圈儿雨伞，雨点儿四溅。

绅士往城里走去。

街上的人都穿着雨靴，

脚下雨水哗啦啦地响。

“哦，这是真的呀！雨水果然是哗啦啦地响啊！”

绅士不停地往前走。

“下雨了，滴答答。
下雨了，哗啦啦。”
伞上和伞下都发出了快乐的声音。

绅士精神抖擞地回到家。

进门后，他小心翼翼地收好了雨伞。

“湿透了的伞也不赖嘛，

这才像一把真正的雨伞。”

绅士漂亮的雨伞，打湿了也很漂亮。

他又开始心旷神怡。

绅士的夫人大吃一惊，说：
“哎呀，你打伞回来的吗？
外面可下着雨呢！”
绅士一边喝茶，一边抽烟，
还不时地去看一眼被淋湿了的雨伞。

桂图登字：20—2008—109

图书在版编目（CIP）数据

绅士的雨伞／（日）佐野洋子著；唐亚明译.—南宁：接力出版社，2008.8
ISBN 978-7-5448-0400-4

Ⅰ.绅… Ⅱ.①佐…②唐… Ⅲ.图画故事－日本－现代 Ⅳ.I313.85

中国版本图书馆CIP数据核字（2008）第117816号

责任编辑：唐 玲
文字编辑：徐 超
美术编辑：卢 强
责任校对：刘会乔
责任监印：陈嘉智
版权联络：闫安琪

社 长：黄 俭
总 编 辑：白 冰
出版发行：接力出版社
社 址：广西南宁市园湖南路9号
邮 编：530022
电 话：010-65546561（发行部）
传 真：010-65545210（发行部）
网 址：http://www.jielibj.com
E-mail：jieli@jielibook.com

印 制：北京盛通印刷股份有限公司
开 本：889毫米×1194毫米 1/16
印 张：2
字 数：10千字
版 次：2008年8月第1版
印 次：2018年12月第4次印刷
印 数：24 001—29 000册
定 价：32.00元